AÏE AÏE EYE

DESSIN : MIDAM ET ADAM
SCÉNARIO : MIDAM ET WWW.GAMEOVERFOREVER.COM
COULEURS : BENBK

MAD F∧BRIK

www.midam.be — www.kidpaddle.com – www.gameoverforever.com

Dépôt légal : octobre 2017 — D/2013/12.212/4
ISBN 978-2-7234-9980-4 / 001 — NUART 65-6892-7
© 2017 – GLÉNAT ÉDITIONS – Midam
Tous droits réservés

Achevé d'imprimer en France en septembre 2017 par Pollina - 26013,
sur papier provenant de forêts gérées de manière durable.

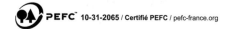

PEFC 10-31-2065 / Certifié PEFC / pefc-france.org

BLORK

ZZZZZZZ

SPLAF

ZZ

GAME OVER

G639   MIDAM-ADAM-HOLYBE

④

MIDAM-ADAM-LIAM

PATELIN - ANATOLE - HOLYBE G603

BLORK!

MIDAM-ADAM-HOLLYBE

G604_MIDAM_ADAM_PAKAL

BLORK

BANZAÏ

CLAP
CLAP
CLAP

G6ob

MIDAM.ADAM.BART.MAESEN

GAME
OVER

 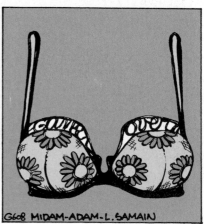

G608 MIDAM-ADAM-L.SAMAIN

MIDAM - ADAM - HOLYBE

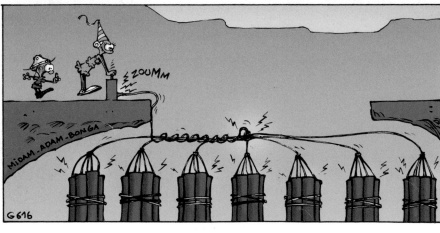

G624A

G620 MIDAM_ADAM_HOLYBE

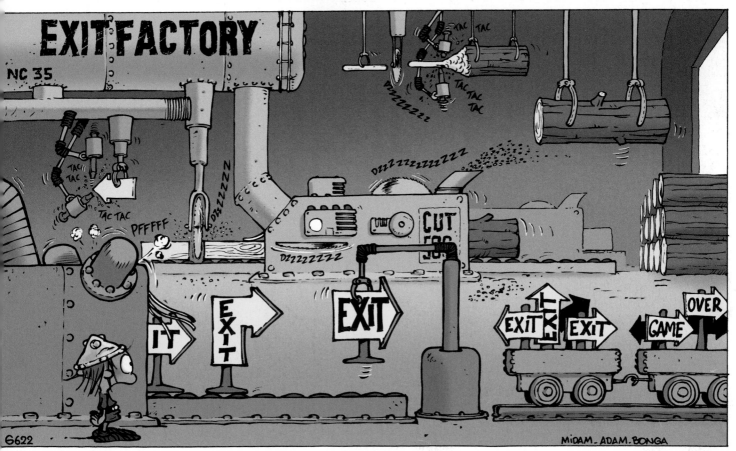

GAME OVER

G640 MIDAM - ADAM _FRAN

G625 MIDAM - ADAM - TITHAUME

BLORK

CRRL
CRiC

CRiC
CRiC

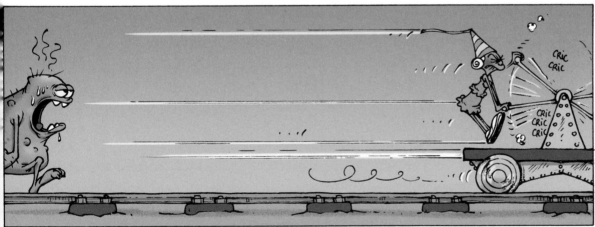

CRIC
CRIC

CRiC
CRiC
CRiC

PFiOOuu

G637 MiDAM · ADAM · XiANYOU

GLOP

BLOB

BLORK

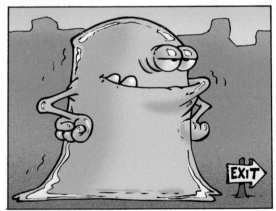
EXIT

EXIT

EXIT

G628 MIDAM - ADAM - PATELIN

GAME ⊢⊙⊣ VER

G630 MIDAM - ADAM - L. SAMAIN

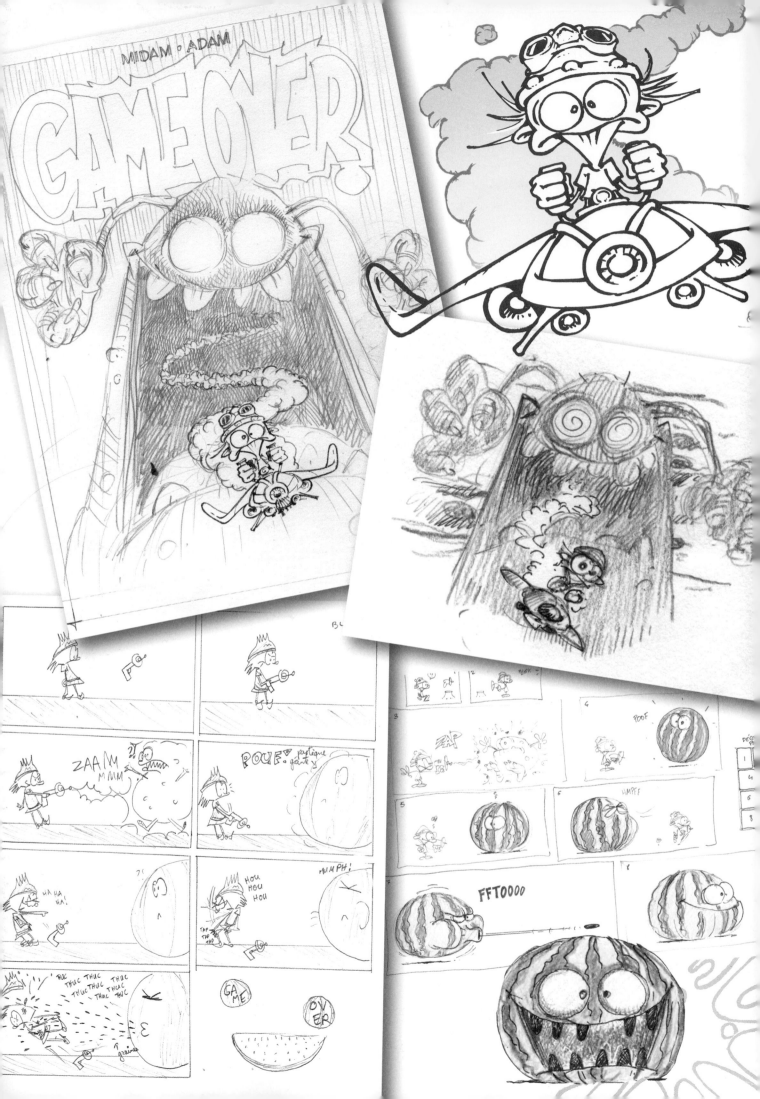

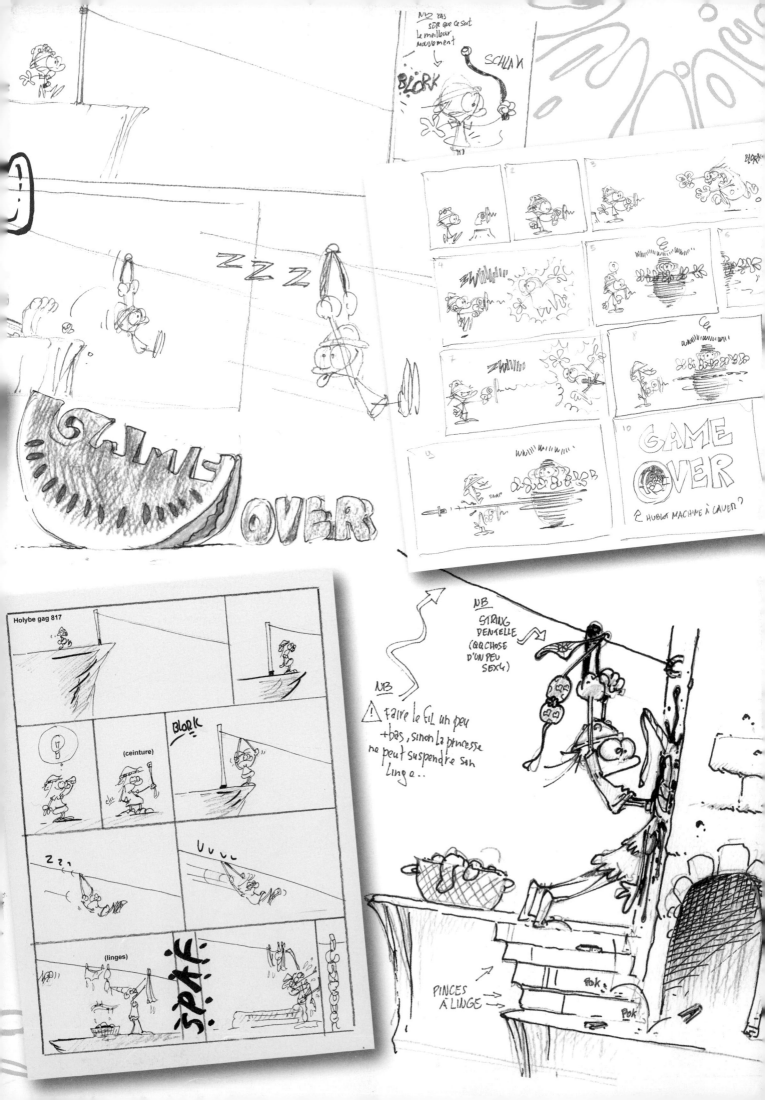

WWW.KIDPADDLE.COM
WWW.GAMEOVERFOREVER.COM

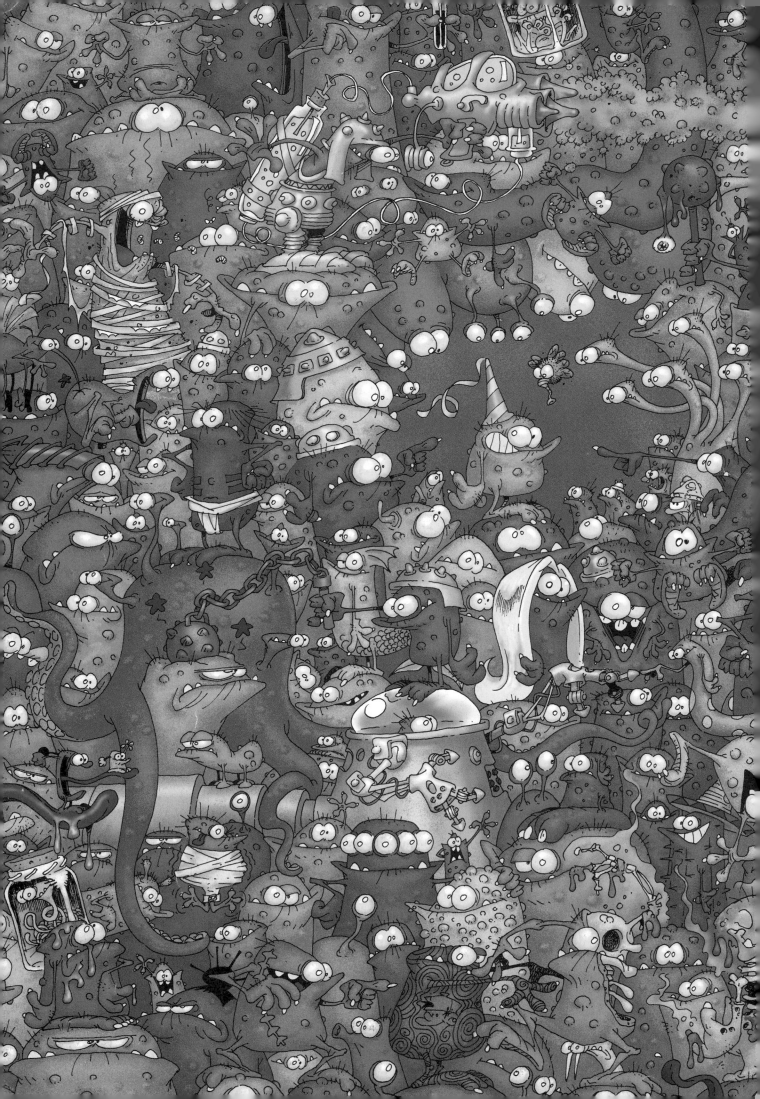